O9-CFT-824

Loi nº 49-956 du 16 juillet 1949 sur les publications destinées à la jeunesse
Dépôt légal 3ᵉ trimestre 1995
ISBN 3 314 20928 2

Monki
et le truc-à-musique

Une histoire écrite par Serena Romanelli
et illustrée par Hans de Beer
Traduction de Michelle Nikly

Editions Nord-Sud

Monki s'ennuie. Dans la forêt tropicale, il pleut des cordes depuis des jours et des jours. Installé au bord de la piste, le petit orang-outan écoute les gouttes d'eau qui tombent sur son parapluie. La forêt vierge lui semble bien grise et triste ce matin.
Tout à coup, un bruit effrayant le fait sursauter. Hop, Monki file se réfugier en haut d'un arbre. C'est un camion qui traverse la jungle sur la piste défoncée. Comme il passe à toute allure sur une bosse, la porte arrière s'ouvre et une boîte tombe dans le sable. Monki descend aussitôt de son perchoir. Vite, il arrache la ficelle, déchire le papier et commence à fouiller l'intérieur avec les pieds et les mains. Au fond, dans la paille, il découvre une autre boîte, un étui noir comme une panthère et brillant comme un serpent. Monki le secoue. On dirait qu'il y a quelque chose dedans. Il joue avec la serrure, le couvercle s'ouvre.

La chose qui est à l'intérieur est plus brillante encore.
Monki la renifle. Puis, comme il retourne l'étui, elle tombe
en poussant un cri.
Monki saute derrière un buisson. De là, il regarde attentivement:
quel drôle de truc! Est-ce un animal? Non, il ne bouge pas.
D'ailleurs, il ressemble plutôt à une cacahuète géante. Monki
a encore un peu peur, mais sa curiosité l'emporte. Lentement,
il s'approche et ramasse la baguette à longs poils blancs qui est aussi
tombée de l'étui, et il tape sur la chose de tous les côtés. Alors qu'il
frotte les cordes, le cri retentit à nouveau. Monki les chatouille
plus doucement et il en sort un son doux et mélodieux. Il chatouille,
chatouille encore.
«Quel jouet fantastique! Ça va sûrement plaire à Papa
et à Maman!»

Mais Papa et Maman n'apprécient pas du tout le nouveau jouet
de Monki. Sa mère trouve qu'il fait un boucan insupportable
et s'enfonce des bananes dans les oreilles...
Les voisins, eux, évitent tous soigneusement de s'approcher
de leur maison.

Mais un jour, Maman voit Papa Tapir qui passait par là s'arrêter
devant Monki, l'écouter attentivement pendant un moment,
puis repartir en souriant.
Le lendemain, Papa Tapir revient encore mais cette fois-ci,
accompagné de toute sa famille.
«Qu'est-ce que ça veut dire?» demande la maman de Monki.
Pour entendre la réponse, il lui faut enlever les bananes
de ses oreilles.

Quelle surprise! Fini le crin-crin, Monki joue maintenant
de merveilleuses mélodies sur son truc-à-musique.
Les animaux viennent de plus en plus nombreux pour écouter
le petit singe. Ils applaudissent, certains crient «Bravo, bravo!»
et Madame Léopard lui lance même une fleur.

Monki et son truc-à-musique sont désormais inséparables.
Mais un jour, comme il se balance d'arbre en arbre, une branche se casse. Monki se rattrape à une liane, mais le truc-à-musique tombe et plouf! le voilà qui flotte sur la rivière.

Monki se précipite, mais au moment où il atteint la rive, une énorme gueule s'ouvre et crac... le truc-à-musique disparaît.
«Au goût, ce n'est pas terrible, ronchonne Arnold le crocodile, mais au moins on sera tranquille.»
Monki voit les débris de son truc-à-musique s'en aller à la dérive.
Puis il ne voit plus rien: ses yeux sont remplis de larmes.

Les jours passent mais Monki est toujours aussi triste. Il ne joue plus. Il ne parle plus. Il ne mange plus. Ses parents lui cueillent ses fruits favoris mais Monki n'y touche même pas.
«Peut-être qu'Oncle Darwin pourrait aider le petit, dit Maman un matin. Il a peut-être un truc-à-musique au fond de son bric-à-brac.»
«Bonne idée, dit Papa. J'y vais tout de suite.»

Oncle Darwin est un vieil original qui vit seul dans les montagnes. Il possède des centaines d'objets bizarres fabriqués par les hommes. Quelques jours plus tard, Papa revient avec un énorme sac sur l'épaule. Monki est tout excité: mon truc-à-musique arrive! pense-t-il.
Mais s'il y a bien un tas de choses étranges dans le sac, aucune ne ressemble à son objet favori. Tous ses amis s'amusent avec les nouveaux bidules-à-musique mais Monki, lui, a envie de pleurer.
«Allez mon petit, dit Papa, j'ai fait tout ce que j'ai pu, tu sais.»
«Tu es sûr? demande Monki. Tu as fouillé partout? S'il te plaît, emmène-moi chez l'Oncle Darwin, ensemble on pourra mieux chercher.»

Le lendemain matin, dès l'aube, Papa se remet en route avec son petit singe. Tantôt ils marchent, tantôt ils se balancent d'arbre en arbre. Monki aperçoit de drôles de fleurs, des montagnes merveilleuses et plein de choses qu'il n'avait jamais vues auparavant. Et quand ils pagayent pour traverser la rivière, il est tellement fasciné par les reflets de la forêt dans l'eau qu'il en oublie presque sa tristesse.

«Déjà de retour? dit Oncle Darwin. Alors Monki, tu n'as pas aimé mes instruments?»
«Non... je veux dire, si... mais... bégaie Monki. Le problème, c'est que ce n'était pas exactement mon truc-à-musique, celui que le crocodile a avalé.»
«Je regrette, dit Oncle Darwin, j'ai donné à ton père tout ce qui faisait un joli son. Mais regarde donc toi-même si tu le trouves ton – comment tu appelles ça déjà? – ton truc-à-musique. Commence par la petite grotte là-bas, on n'a pas cherché là, la dernière fois.»
Monki ne se le fait pas dire deux fois. Il se précipite dans la grotte. Il fait très sombre là-dedans. Mais ses yeux s'habituant à l'obscurité, il découvre des tas de choses bizarres, des montagnes d'objets mystérieux autour de lui.

Monki est émerveillé: «Quel monde…!»
«Le monde entier, l'interrompt Oncle Darwin qui est descendu derrière lui, ça vient du monde entier. Dis-moi, à quoi ça ressemblait, ton truc-à-musique?»
Monki le dessine sur le sol poussiéreux.
«Et comment tu en jouais, tu le secouais ou tu tapais dessus?»
«Je le tenais simplement au creux de mon épaule… et puis je prenais la baguette et…» Monki mime à la perfection un violoniste.

«Un violon! Ça devait être un violon. J'ai vu un homme en jouer un jour, dans mon jeune temps. Je ne me souviens plus où, d'ailleurs. Au moins, nous savons maintenant que nous cherchons un violon!»
Oncle Darwin et Papa fouillent partout, entre les meubles, dessous, dessus, dedans, tandis que Monki grimpe sur l'échafaudage le plus haut en murmurant: «Violon… violon!»
Soudain il hurle: «Papa! Oncle Darwin! Regardez, là!» Monki a trouvé un étui noir, noir comme une panthère et brillant comme un serpent.

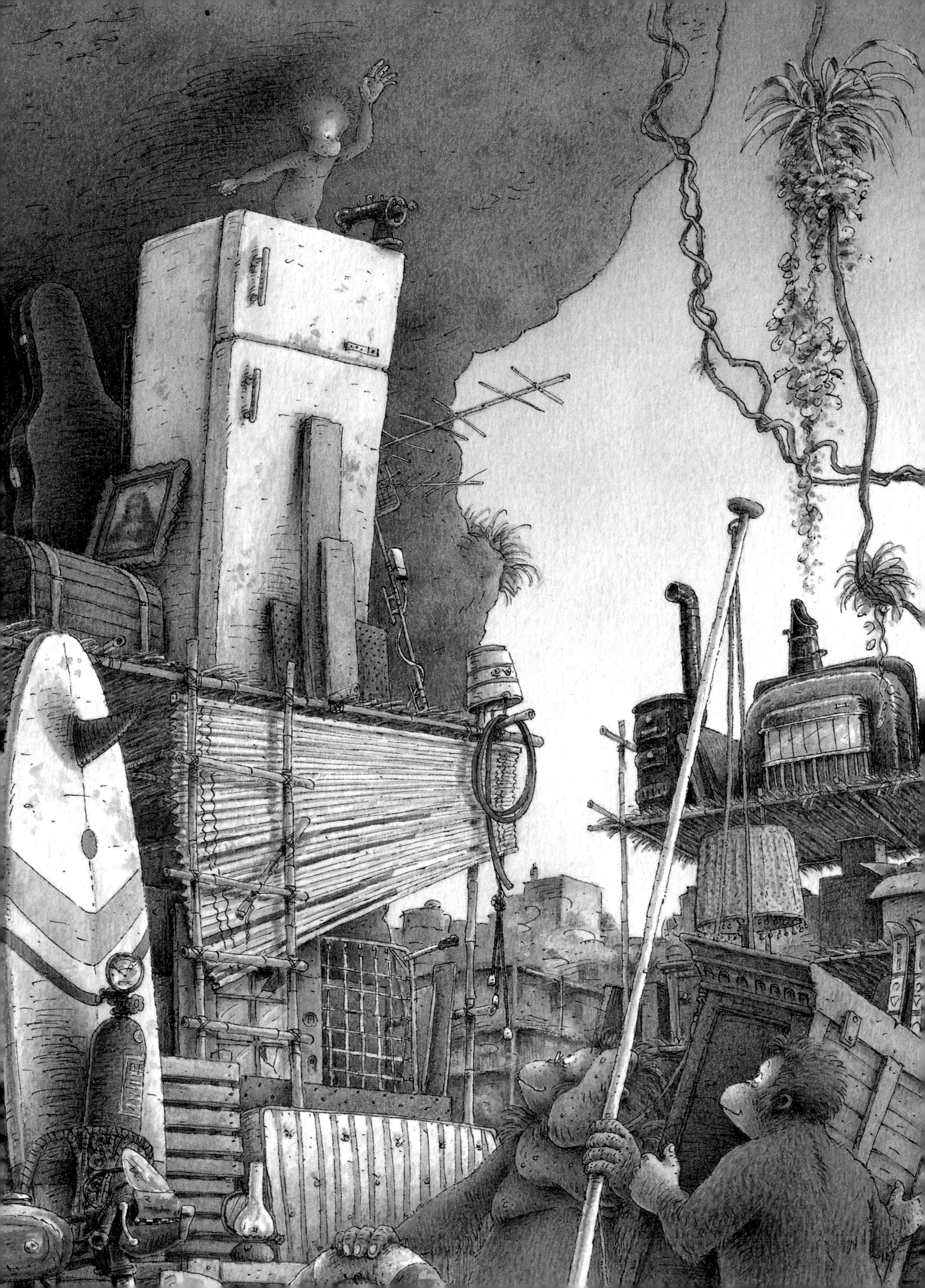

A trois, ils dégagent la boîte. Papa soulève le couvercle avec précaution et – un énorme violon apparaît!
«A peine un peu grand pour toi…» dit Oncle Darwin en souriant.
Monki ne répond pas. Il doit mettre toute sa force pour tenir l'instrument debout.
Il prend un air sérieux, puis soudain son visage s'éclaire:
«J'ai trouvé! C'est une maman-violon! Voilà pourquoi il est si grand.
Et si la maman est là, c'est que son petit n'est pas loin.»
Oncle Darwin éclate de rire: «Une maman violon, ce violoncelle, une maman violon? Et à ton avis, elle a fait son nid pour ses petits aussi? Ha ha ha!»
Oncle Darwin s'étrangle de rire. Plié en deux, il heurte les montants en bambou et soudain, le monde semble s'écrouler autour d'eux.
Quand la poussière se dissipe, Monki s'écrie:
«Le voilà! Qu'est-ce que je disais?»
Et en effet, à l'intérieur du réfrigérateur, il y a un joli petit coffret brillant. Monki l'ouvre, en sort tout doucement un petit violon et commence aussitôt à jouer.

Son père et l'Oncle Darwin, couverts de poussière, écoutent
en silence, puis ils l'applaudissent longuement.
«C'était un petit air rien que pour toi, pour te remercier!» dit Monki
à l'Oncle Darwin. Il sourit, il est heureux. Maintenant il n'a plus
qu'une envie: rentrer à la maison.
Il est tellement impatient de jouer de son nouveau violon pour
ses amis! Au retour, Papa Orang-outan prend Monki sur ses épaules,
et Monki serre son violon dans ses bras. C'est plus sûr!
Soudain, alors qu'ils sont presque arrivés, ils entendent un vacarme
infernal. Puis ils voient Maman assise dans un arbre avec des bananes
enfoncées dans les oreilles, comme avant.
Juste à ce moment-là, ils manquent de se faire écraser par Papa Tapir
et son petit.
«Qu'est-ce qui se passe ici?» s'écrie Papa.
«Oh, rien de spécial, ils appellent ça de la musique mais ce n'est
que du tintamarre!» répond le tapir en se sauvant à toute vitesse.

Devant chez eux, tous les petits singes sont en train de jouer avec les instruments que Papa a ramenés la dernière fois. Ils ont l'air de bien s'amuser.
Heureusement, le vacarme ne dure pas éternellement. Les amis de Monki apprennent bien vite à jouer de leurs instruments et bientôt, ils forment un véritable orchestre qui joue le soir, au cœur de la jungle, quand il ne pleut pas. Tous les animaux accourent alors pour les écouter.
Mais de temps en temps, lorsque la nuit est claire, Monki grimpe au sommet d'un grand arbre et là, tout seul, il joue sous le ciel étoilé pour la lune et pour la jungle ses plus douces sérénades.

Hans de Beer a illustré pour les Editions Nord-Sud
les albums suivants:

Le voyage de Plume
Le voyage de Plume (livre animé)
Plume en bateau
Plume en bateau (livre animé)
Plume s'échappe
Olli, le petit éléphant
Le Prince Ferdinand
La Forêt aux Mille Ombres
Bulle, le petit ours brun

et dans la collection «C'est moi qui lis»:

Plume et la Station Polaire
Famille Taupe-Tatin – Ce n'est pas de la tarte
Famille Taupe-Tatin – Tout va bien!
Papa Vapeur et la camionnette rouge